¡Me gusta escribir!
Núm. 3

Este cuaderno pertenece a:

Nombre: _____

Escuela: _____

Grado: _____

Maestro(a): _____

¡Me gusta escribir!
Núm. 3

Páginas	Competencias de énfasis
1 - 9	Reconocimiento visual de letras, palabras y oraciones en tipo cursivo. Autoevaluación.
10 - 44	Escritura de palabras, oraciones y temas cortos en tipo cursivo utilizando los criterios de caligrafía: forma, tamaño, inclinación, espaciamiento y nitidez. Uso de las letras mayúsculas y el punto final. Organizar palabras para formar oraciones. Reconocer nombres propios, nombres comunes y adjetivos. Familiarizarse con lecturas como: descripciones y narraciones cortas, biografías, notas, poemas y diálogos. Actividades de autoevaluación.
45 - 67	Redacción colectiva y/o individual de párrafos descriptivos y expositivos, diálogos, cartas, cuentos cortos, diarios y poemas. Identificar y producir sinónimos y antónimos. Uso de las letras mayúsculas y el punto final. Reconocer y producir nombres propios, nombres comunes y adjetivos. Actividades de autoevaluación y de evaluación auténtica.

Este cuaderno ha sido preparado por
Ana Ilsa Rivera, Ed. D. con la colaboración de su grupo creativo.

 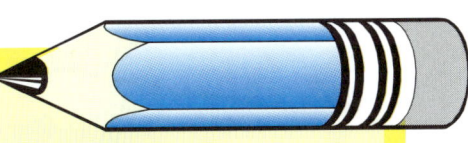

Carta para ti

Querido(a) estudiante:

¡Bienvenido(a)!

Te estás iniciando en la escritura en tipo cursivo. Pronto podrás escribir todos tus trabajos en esta forma. Este cuaderno te ayudará. Sigue el orden de las actividades y tendrás éxito.

Mientras trabajas aprenderás a auto-evaluar tu labor y sentirás orgullo de tu progreso. ¡Adelante!

Cordialmente,

Anisa

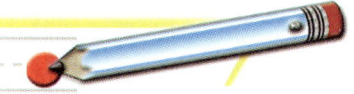 Observa y comenta la ilustración.

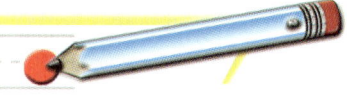 Lee las oraciones. Observa las diferencias entre la letra tipo impreso y la letra cursiva.

Observa:
- el tamaño y la forma.
- la inclinación.
- el espaciamiento entre palabra y palabra.

Andrés y Gladys están de paseo.

Andrés y Gladys están de paseo.

Están con su familia en un parador.

Están con su familia en un parador.

Es un parador hermoso.

Es un parador hermoso.

2

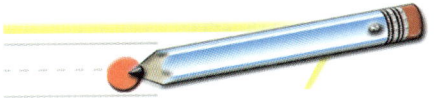

Parea las palabras de la izquierda con las de la derecha. Sigue el ejemplo.

árbol		diapositiva
bandera		esqueleto
caballo		árbol
chiringa		bandera
diapositiva		caballo
esqueleto		chiringa

flores		hojas
gallina		kilo
hojas		jaula
iglesia		gallina
jaula		flores
kilo		iglesia

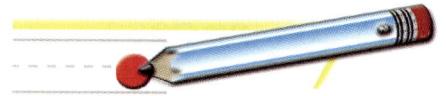 Parea las palabras de la izquierda con las de la derecha.

luna		oreja
llave		ñame
montaña		nave
nave		luna
ñame		pájaro
oreja		montaña
pájaro		llave

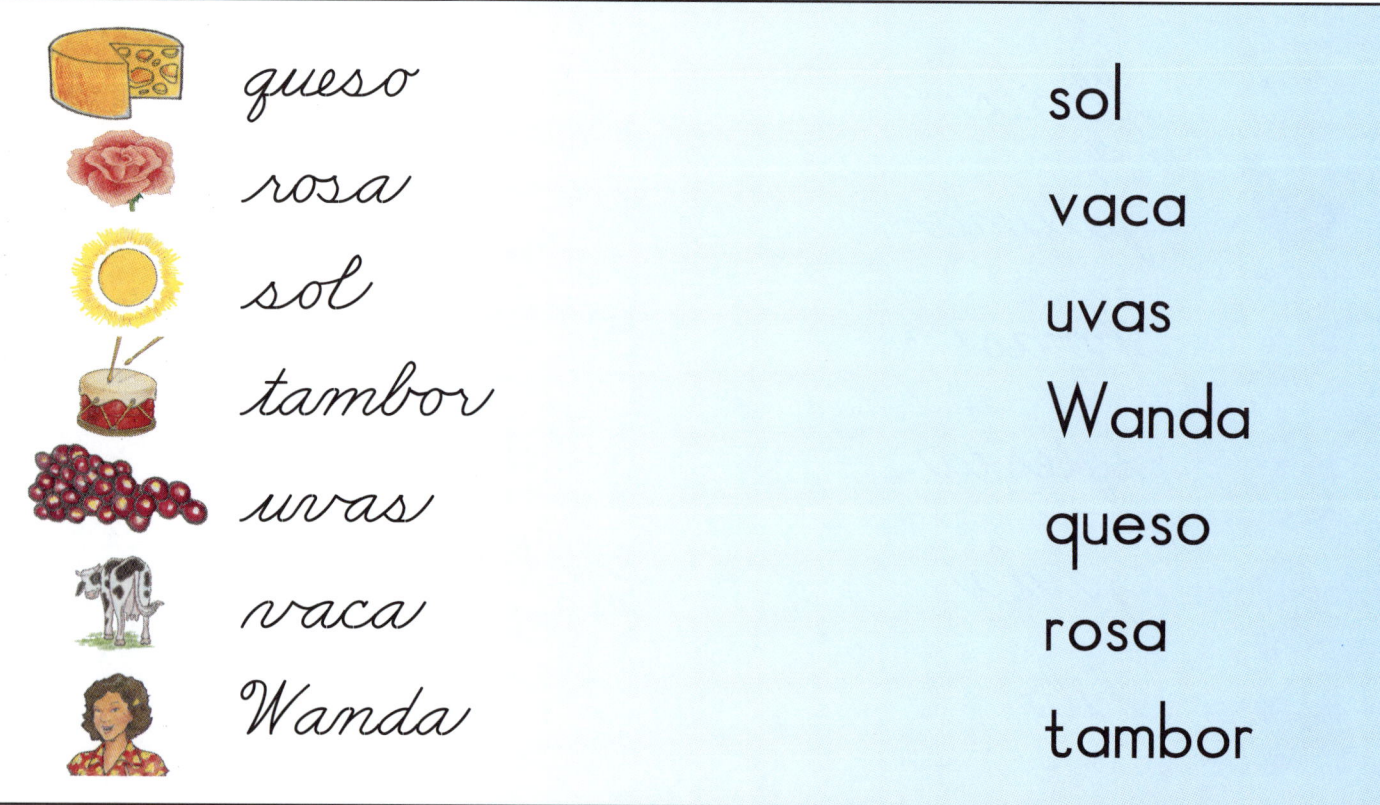

queso		sol
rosa		vaca
sol		uvas
tambor		Wanda
uvas		queso
vaca		rosa
Wanda		tambor

Parea las palabras de la izquierda con las de la derecha.

xilófono

yautía

zapato

yautía

zapato

xilófono

Parea las letras de la izquierda con las letras de la derecha. Sigue el ejemplo.

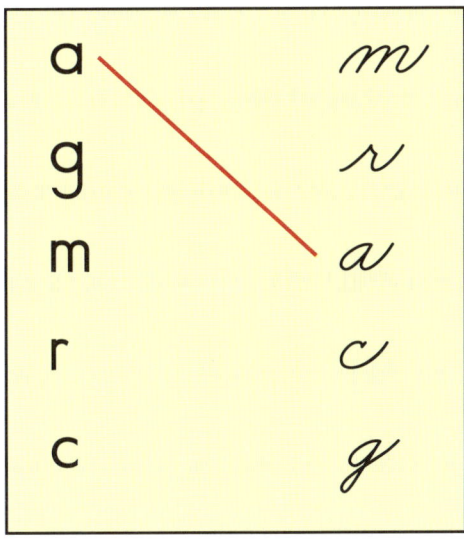

a		*m*
g		*r*
m		*a*
r		*c*
c		*g*

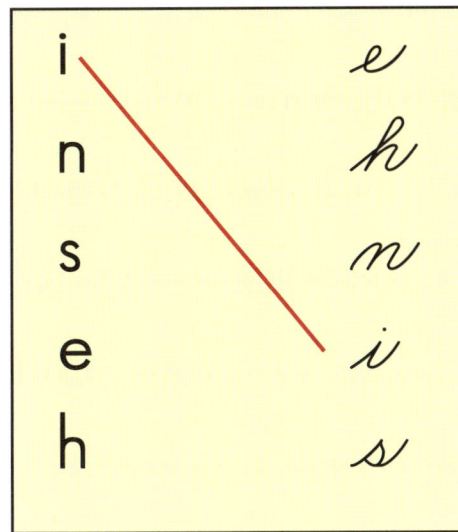

i		*e*
n		*h*
s		*n*
e		*i*
h		*s*

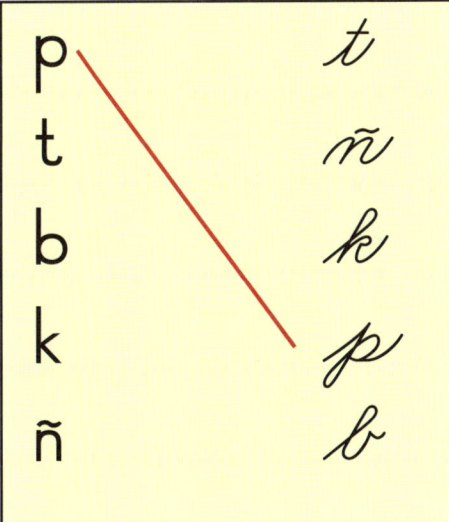

p		*t*
t		*ñ*
b		*k*
k		*p*
ñ		*b*

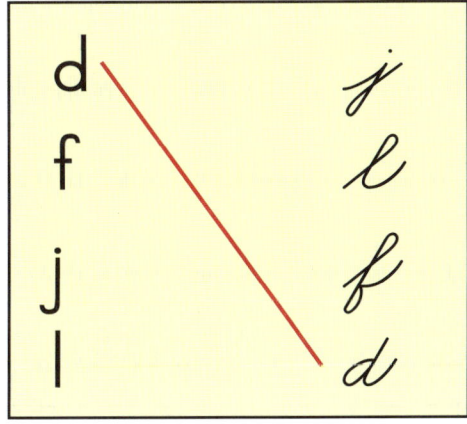

d		*j*
f		*l*
j		*f*
l		*d*

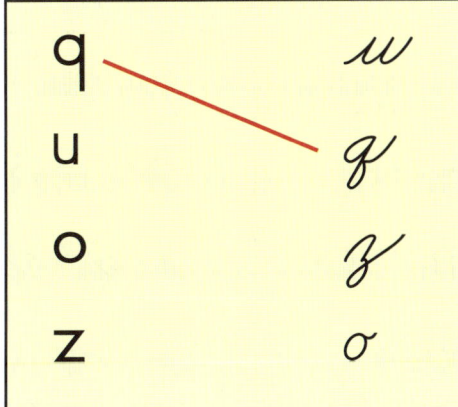

q		*w*
u		*q*
o		*z*
z		*o*

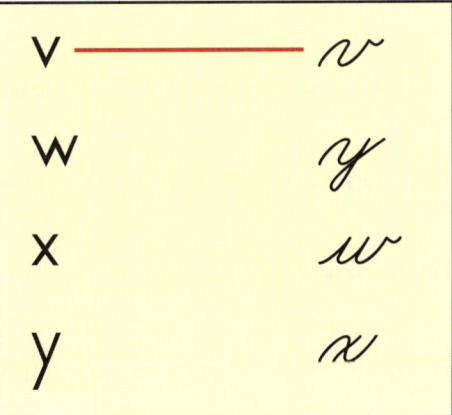

v		*v*
w		*y*
x		*w*
y		*x*

5

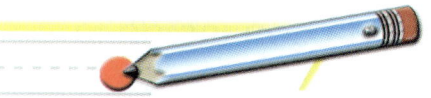 Observa el mapa de Puerto Rico

 Busca en el mapa dónde se ubica cada uno de los pueblos que aparecen más adelante. Utiliza el número de referencia. Colorea su ubicación.

1. Adjuntas
2. Barranquitas
3. Comerío
4. Dorado
5. Fajardo
6. Guayama
7. Hatillo

8. Isabela
9. Jayuya
10. Lares
11. Maricao
12. Naguabo
13. Orocovis
14. Patillas

15. Quebradillas
16. Rincón
17. Salinas
18. Toa Baja
19. Utuado
20. Vieques
21. Yauco

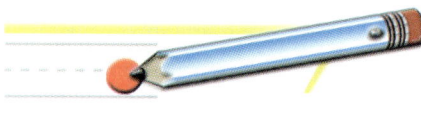 Parea los siguientes nombres propios

Chicago	Ecuador
Ecuador	Llorens
Kenia	Chicago
Llorens	Kenia

Ñeco	Wilma
Wilma	Ñeco
Xiomara	Zory
Zory	Xiomara

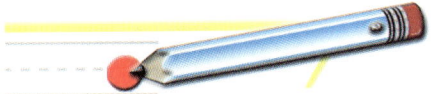

Parea los nombres de los pueblos.

Aguada	Arecibo
Arecibo	Caguas
Bayamón	Cayey
Caguas	Aguada
Cayey	Bayamón

Dorado	Florida
Fajardo	Gurabo
Florida	Guánica
Gurabo	Fajardo
Guánica	Dorado

Humacao	Juncos
Isabela	Jayuya
Juncos	Isabela
Jayuya	Loíza
Loíza	Humacao

Lares	Lajas
Lajas	Moca
Moca	Naguabo
Maricao	Lares
Naguabo	Maricao

Orocovis	Patillas
Patillas	Orocovis
Quebradillas	Rincón
Rincón	Salinas
Salinas	Quebradillas

San Juan	Yauco
Trujillo Alto	Utuado
Utuado	San Juan
Vieques	Trujillo Alto
Yauco	Vieques

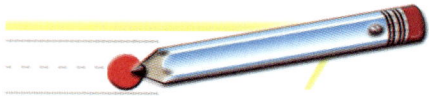

Parea las letras mayúsculas. Sigue el ejemplo.

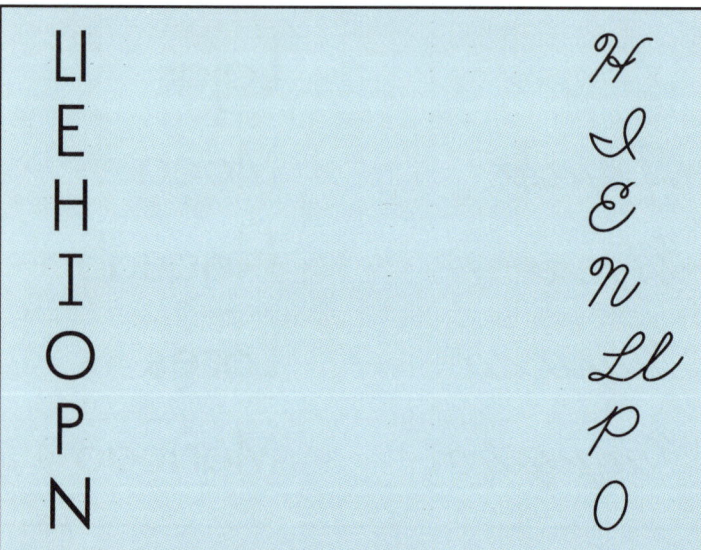

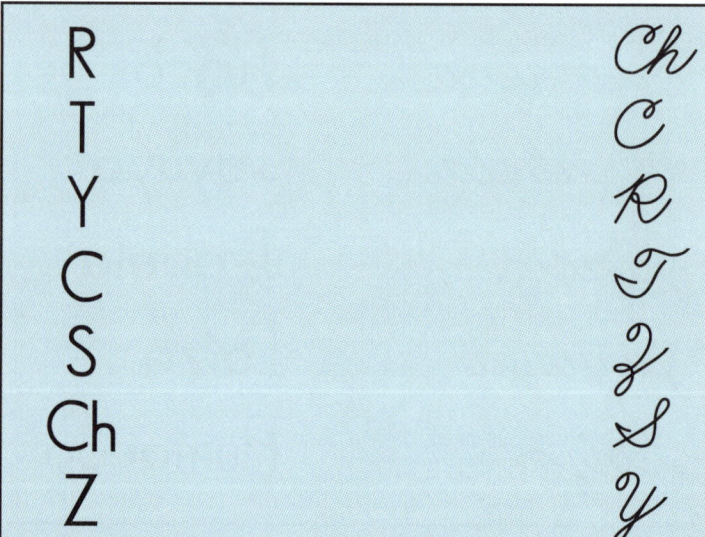

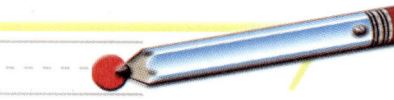

Parea las letras mayúsculas y minúsculas.

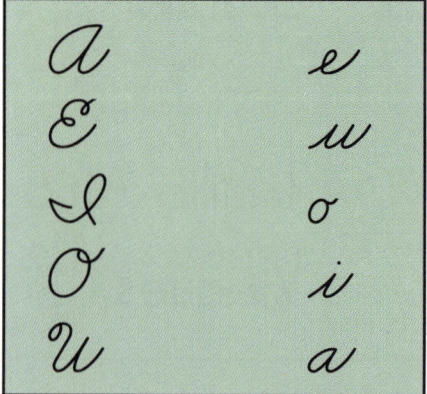

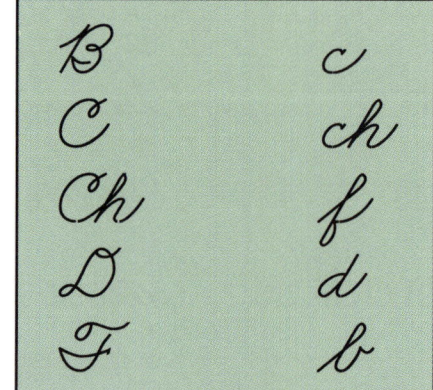

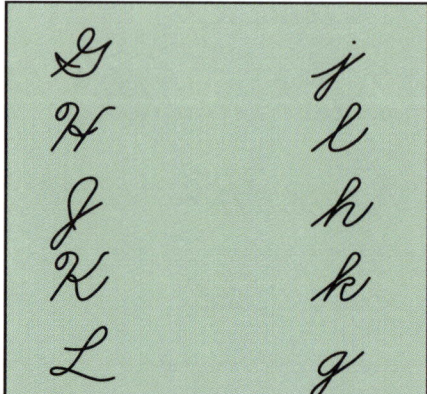

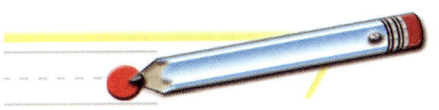 Lee individualmente las palabras y las oraciones.

Alicia	Julio	Rosario
Bayamón	Kico	Susana
Comerío	Laura	Teresa
Chicago	Llabrés	Ulises
Danilo	Maricao	Vieques
Esteban	Naguabo	Wilma
Fernando	Ñeco	Xenia
Gurabo	Otilia	Yabucoa
Holanda	Peñuelas	Zaida
Isabel	Quique	

Estoy empezando a escribir en letra cursiva. Sé que, con dedicación y esfuerzo, pronto escribiré muy bien.

 Autoevalúa tu progreso. Sigue las instrucciones de tu maestro(a).

Acciones	Bien	Aceptable	Tengo que mejorar
Puedo parear letras y palabras escritas en tipo impreso con las escritas en cursivo.			
Puedo leer en el tipo cursivo.			

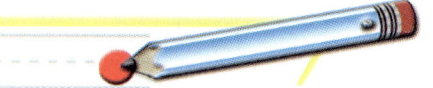

Completa cada letra con los trazos básicos del tipo cursivo. Empieza el trazo en el punto rojo.

i   t   u   b   l   e

a   g   q   c   o   d

m   n   y   z   v   x

Practica los trazos básicos del tipo cursivo.
Sigue el ejemplo

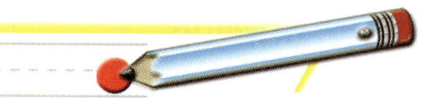

Escribe las vocales minúsculas usando el tipo cursivo. Sigue las flechas. Empieza donde está el punto rojo.

a *e* *i* *o* *u*

Escribe las vocales mayúsculas usando el tipo cursivo. Sigue las flechas. Empieza donde está el punto rojo.

A *E* *I* *O* *U*

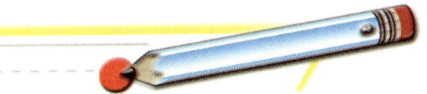 Lee y comenta las oraciones. Estudia los trazos de las palabras en rojo.

Leyla va con Teresa. Teresa es su tía. El traje de Teresa es lila. Ellas van de paseo.

Traza cada palabra.

tía	lila	Teresa	Leyla
tía	lila	Teresa	Leyla
tía	lila	Teresa	Leyla
tía	lila	Teresa	Leyla
tía	lila	Teresa	Leyla

Escribe cada letra siguiendo el modelo.

t

l

T

L

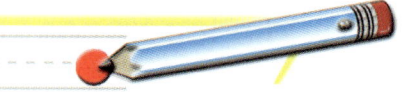 Lee y comenta las oraciones. Estudia los trazos de las palabras en rojo.

Mamá ama a su niña.
La niña se llama Nora.
La muñeca se llama Nela.
Nora juega con Nela.

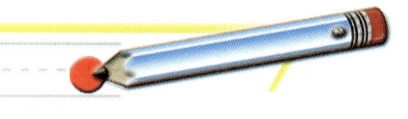 Traza cada palabra.

niña	ama	Mamá	Nela
niña	ama	Mamá	Nela
niña	ama	Mamá	Nela
niña	ama	Mamá	Nela
niña	ama	Mamá	Nela

Escribe cada letra siguiendo el modelo.

n

m

N

M

Escribe cada palabra siguiendo el modelo.

lata   mula   luna

loto   Luis   Tomás

mota   nena   lana

tití   ola   mamá

tomate   tiesto   Manolo

Escribe, en tipo cursivo, las palabras siguientes.

Titán   Luis   Amalia

niño   Tomás   está

Manuel   tomate   lámina

Natalia   Teresa   maleta

mañana   mulata   Luna

 Estudia los trazos de las palabras en rojo.

El grupo de tercer grado va de excursión. Ramón y Sara buscan en el mapa del salón. Marcan la ruta hacia Barranquitas. Quieren visitar la altura isleña.

 Traza cada palabra siguiendo el modelo.

Ramón   Sara   ruta   salón

Ramón   Sara   ruta   salón

Ramón   Sara   ruta   salón

Ramón   Sara   ruta   salón

 Escribe cada letra siguiendo el modelo.

s

r

S

R

¡Observa la separación entre palabra y palabra!

 Lee y comenta la lectura. Estudia los trazos de las palabras en rojo.

Daniel y *Dora* observan la pantalla. *Carmen* lee su trabajo. Es acerca de Luis Muñoz Marín. Su voz se escucha *clara* cuando *dice* su información.

Oscurece cada palabra siguiendo los trazos de izquierda a derecha.

clara	dice	Daniel	Carmen
clara	dice	Daniel	Carmen
clara	dice	Daniel	Carmen
clara	dice	Daniel	Carmen

Escribe cada letra siguiendo el modelo.

c

d

C

D

¡Observa la separación entre palabra y palabra!

Escribe cada palabra siguiendo el modelo.

duende   doña   rama

Dora   doce   Andrés

siete   camisa   Carlos

Rosa   Amalia   comida

Carlos   Daniel   descanso

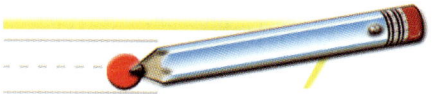

Escribe, en tipo cursivo, las palabras siguientes.

Mario   rosado   camisa

Teodoro   moderna   Cristina

Saturno   sistema   solitaria

interés   Danilo   cadena

desde   Tierra   Martes

 Copia las oraciones siguiendo el modelo. Mantén la separación adecuada entre palabra y palabra.

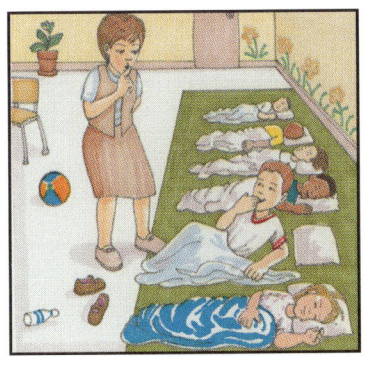

Los niños y las niñas duermen.

Descansan en la alfombra.

La maestra está en el salón.

Ella está con su alumno.

A Mario le gusta leer.

Mario lee un cuento.

El río corre cristalino.

La montaña luce sus colores.

Escribe cada oración en letra cursiva. Mantén la separación adecuada entre palabra y palabra.

Los lirios son de mamá.

Dame una docena de rosas.

Los montes lucen tonos verdes.

El río corre cristalino.

Los niños se ríen de todo.

Las niñas están en el comedor.

El cielo está lleno de estrellas.

Completa las oraciones de acuerdo con el dibujo.
Mantén tu trabajo nítido.

María se baña.   *Ella bebe* _____ .

_____ *come.*   *Mira mi* _____ .

Gloria

_____ *habla.*   *Mira la* _____ .

Luis

_____ *mira.*   *Usa la* _____ .

Carlos

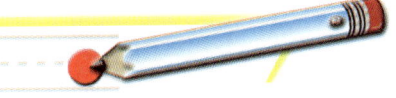

Forma oraciones. Escríbelas en cursivo. Mantén la
separación adecuada entre palabra y palabra. Sigue
el ejemplo.

| come Dora donas dulces | caramelos come Carlos | Luis Tomás duerme con | Sara mi usa cadena | la amarilla es rosa |

Dora come donas dulces.

_____

_____

_____

_____

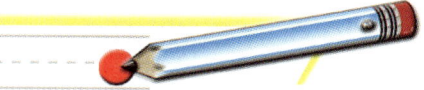 Observa cada escena. Organiza las palabras para formar oraciones. Escribe en letra cursiva.

saluda	sol	manãna
al	el	la
sol	sonríe	linda
Andrés	le	está

está	salón	marca
con	en	ruta
Carmen	están	la
Carlos	el	Carlos

 Autoevalúa tu progreso. Sigue las instrucciones de tu maestro(a)

Acciones	Bien	Aceptable	Tengo que mejorar
Sé hacer los trazos según los modelos.			
Mantengo el tamaño de las letras y palabras según el modelo.			
Puedo separar las palabras en una oración.			
Mantengo la inclinación adecuada.			

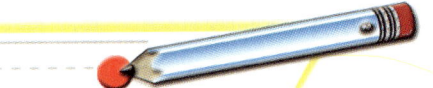 Lee y comenta lo que dice el mensaje. Estudia los trazos de las palabras en rojo.

• NOTAS •

Querida Glenda:

Recuerda las cosas que debes hacer después que estudies:

• *guardar* la compra.

• colocar el *queso* y el agua en la nevera.

Llegaré pronto,
Mamá

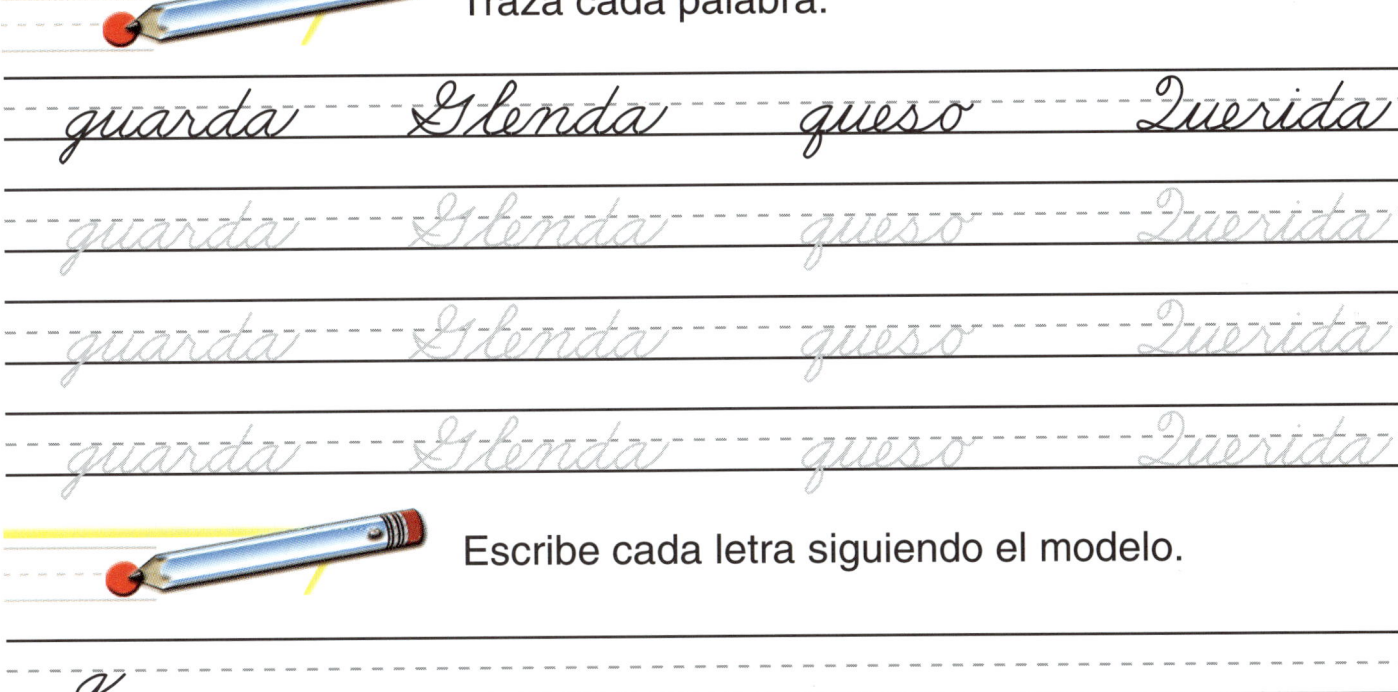 Traza cada palabra.

guarda　　Glenda　　queso　　Querida

Escribe cada letra siguiendo el modelo.

g

G

q

Q

 Lee y comenta los versos. Estudia los trazos de las palabras en rojo.

Todas las mañanas
Fela va al jardín
a ver los colores
que vuelan allí.

Colores, colores,
colores sin *fin*:
blanco, amarillo,
azul y otros mil.

Alas muy hermosas
brillan con el sol.
De bellos colores,
¿sabes quiénes son?

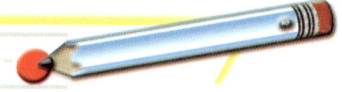 Traza cada palabra.

fin	Blanca	Fela	brilla
fin	Blanca	Fela	brilla
fin	Blanca	Fela	brilla
fin	Blanca	Fela	brilla

Escribe cada letra siguiendo el modelo.

b

B

f

F

Escribe cada palabra siguiendo el modelo.
¡No olvides la inclinación!

querida   esquina   águila

quedaron   coquí   Gloria

quebrada   Benito   tango

tranquilo   máquina   aligera

Quique   proteger   Felito

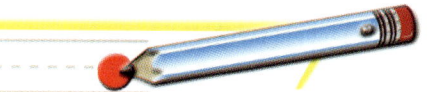

Escribe, en tipo cursivo, las palabras siguientes.
Mantén tu trabajo nítido.

alegría   quemado   rugido

Flor   Basilio   Quina

Genaro   bocina   bosque

quietud   Felito   fuente

frambuesa   cabellos   sabor

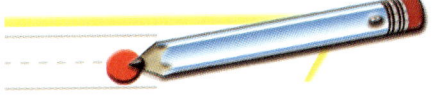

Completa cada pensamiento con la palabra adecuada.
Escoge entre las siguientes. ¡No olvides usar letra
cursiva!

madrugar	trébol	tranquila	Barranquitas
alba	bosques	familia	Caguana

A la _____ le gusta pasear.

A veces salen antes del _____.

La noche campesina es _____.

A los campesinos les gusta _____.

Luis Muñoz Marín nació en _____.

El barrio _____ queda en Utuado.

El _____ tiene tres hojas.

Los huracanes destruyen los _____.

Escribe un nombre propio con las letras siguientes.
¡Escribe en letra cursiva!

B _____   G _____

F _____   D _____

2 _____   R _____

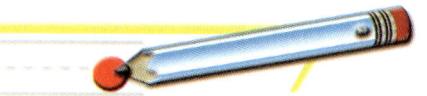

Lee y dramatiza el diálogo siguiente.
Observa los trazos de las palabras en rojo.

- Hola, *Hilda* ¿Para dónde vas?

- Voy a la fiesta de *Kico*. Hoy es su cumpleaños. Aquí llevo un *kilo* de mantecado.

- ¿Él cumple años hoy? Creí que era el domingo.

- ¡Es *hoy*! ¿Quieres acompañarme?

Traza cada palabra.

hoy	Hilda	kilo	Kico
hoy	Hilda	kilo	Kico
hoy	Hilda	kilo	Kico
hoy	Hilda	kilo	Kico

Escribe cada letra siguiendo el modelo.

h

H

k

K

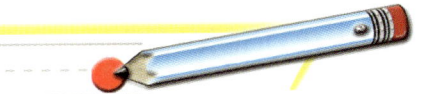 Estudia los trazos de las palabras en rojo.

San Juan es la capital de Puerto Rico. En San Juan está el Palacio de Santa Catalina. Allí hay hermosos jardines. Este lugar nos recuerda nuestro pasado.

Traza cada palabra siguiendo el modelo.

jardín	Juan	Puerto	pasado
jardín	Juan	Puerto	pasado
jardín	Juan	Puerto	pasado
jardín	Juan	Puerto	pasado

Escribe cada letra siguiendo el modelo.

j

J

p

P

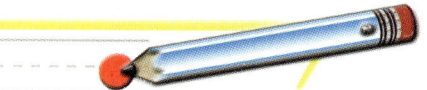

Escribe cada palabra siguiendo el modelo.
¡Cuida tu caligrafía!

huracán   *Hugo*   *puertas*

hombres   *proteger*   *empujar*

poder   *humilde*   *hojas*

Jájome   *juegos*   *Julio*

juguetón   *Paula*   *anaquel*

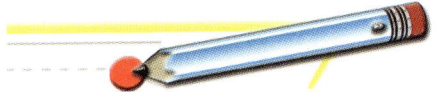

Los niños hacen comentarios <u>jocosos</u>.

Las hojas están húmedas.

La carretera es empinada.

En lo alto hay un pequeño parador.

Desde allí se ven montañas gigantes.

En el jardín hay flores hermosas.

Algunas rosas son rojas.

En la entrada hay un perro juguetón.

El río cristalino corre rápido.

1. *jocosos*   4. _____   7. _____

2. _____   5. _____   8. _____

3. _____   6. _____   9. _____

Escribe, en letra cursiva, un nombre propio con cada letra.

| H | _____ | J | _____ |
| K | _____ | P | _____ |

Escribe cada nombre propio siguiendo el modelo.

Benito   *Fidel*   *Grisel*

Héctor   *Jacinto*   *Pamela*

Dora   *Ramiro*   *Susana*

Escribe nombres de compañeros(as) que empiecen con las letras siguientes.

T		G	
R		F	
L		H	
M		I	
A		E	

Lee y comenta los datos biográficos. Subraya los nombres propios

Luis Antonio Ferré nació en Ponce, Puerto Rico en 1904. Estudió ingeniería y piano en Estados Unidos. En el 1959 fundó el Museo de Arte de Ponce. Diez años después (1969) fue elegido gobernador de la Isla. Ferré se destacó en la política, en el arte y en las ciencias. Este puertorriqueño extraordinario murió el 21 de octubre de 2003.

- ¿Por qué crees que se dice que Luis A. Ferré fue un puertorriqueño extraordinario?
- ¿Qué otros datos conoces de Luis A. Ferré?
- ¿Conoces otros(as) puertorriqueños(as) ilustres? Menciónalos(as).

Completa las oraciones del párrafo. ¡No olvides el uso de las letras mayúsculas?

Mi nombre es _____.
Nací en el año _____. Nací en _____
_____. Estoy en _____ grado. Estudio
en la escuela _____. El
nombre de mi maestr__ es _____.

 Lee y comenta los versos. Observa los trazos de las palabras en rojo.

Si buscas con cuidado,
en *éxito* la encontrarás.
Y si miras el *xilófono*,
también la podrás hallar.

Xiomara es un nombre propio
donde se encuentra presente.
Serán muy pocos los nombres
donde de nuevo la encuentres.

Traza cada palabra siguiendo el modelo.

éxito	xilófono	Xiomara
éxito	xilófono	Xiomara
éxito	xilófono	Xiomara
éxito	xilófono	Xiomara

Escribe cada letra siguiendo el modelo.

x

x

X

X

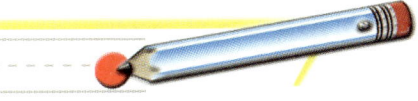

Lee y comenta la lectura. Observa los trazos de las palabras en rojo.

Yoly y *Zoilo* observan la naturaleza borincana. Están asombrados con lo que ven.

—¡Mira una abeja! ¡Escucha como *zumba*! —dice Zoilo.

—Vengan, vamos a la *yerba* fresca —invita una niña.

Yoly, Zoilo y su amiga disfrutan del paisaje.

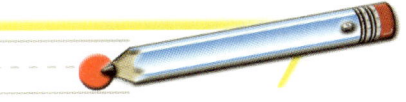

Traza cada palabra siguiendo el modelo.

zumba	Zoilo	yerba	Yoly
zumba	Zoilo	yerba	Yoly
zumba	Zoilo	yerba	Yoly
zumba	Zoilo	yerba	Yoly

Escribe cada letra siguiendo el modelo.

z

y

Z

Y

Lee y comenta la lectura. Observa los trazos de las palabras en rojo.

El tío *Wilson* trajo dos juguetes. El *violín* es para *Víctor*. La flauta es para *Awilda*.

El tío Wilson estudia en el Conservatorio de Música. El estudia mucho. Algún día será un gran músico.

Traza cada palabra siguiendo el modelo.

violín	Awilda	Víctor	Wilson
violín	Awilda	Víctor	Wilson
violín	Awilda	Víctor	Wilson
violín	Awilda	Víctor	Wilson

Escribe cada letra siguiendo el modelo.

v

w

V

W

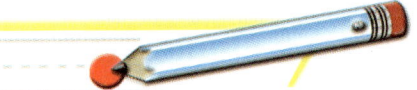

Escribe cada palabra siguiendo el modelo.
¡No olvides la inclinación!

éxito   *examen*   *Félix*

Xenia   *Cayey*   *yoga*

Yauco   *Yabucoa*   *estoy*

Zamora   *paz*   *zapato*

Venancio   *ven*   *eleva*

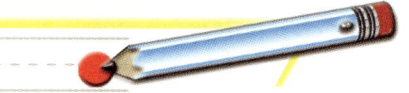 Escribe, en letra cursiva, las oraciones siguientes.

Víctor y Zulma están de paseo.

Hoy visitan el parque.

Zaida pertenece al Club 4-H.

Ella trabaja en un proyecto.

El huracán Hugo azotó la Isla.

El Yunque quedó maltratado.

Axel estudia mucho.

Mañana tiene un examen.

Recuerda mantener: • la separación adecuada entre las palabras de la oración.
• las letras inclinadas un hacia la derecha.

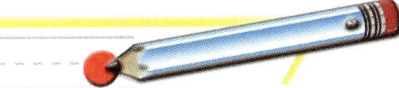

Escribe, en letra cursiva, las letras del abecedario. Sigue el ejemplo.

A	*a*	a	*a*	N		n
B		b		Ñ		ñ
C		c		O		o
Ch		ch		P		p
D		d		Q		q
E		e		R		r
F		f		S		s
G		g		T		t
H		h		U		u
I		i		V		v
J		j		W		w
K		k		X		x
L		l		Y		y
Ll		ll		Z		z
M		m				

Observa la ilustración. Completa las oraciones de acuerdo a lo ilustrado. Escribe una oración original.

La niña está en la

Ella juega con la

Su traje de baño es

Juan baña su

Él usa una

El niño se ve

Veo dos   y una

Están barriendo la

Usan escoba y

La señora está en el

Ella está

Ella usa

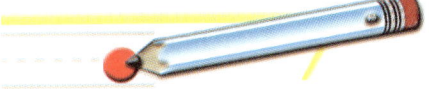

Observa cada ilustración. Escribe, en letra cursiva, tres oraciones sobre lo que presenta cada una. Sigue el ejemplo.

El niño y la niña están jugando.

43

Escribe, en letra cursiva, las oraciones siguientes.

Puerto Rico es hermoso.

El Yunque es nuestro Bosque Nacional.

San Juan es su capital

El Océano Atlántico queda al norte.

El Mar Caribe queda al sur.

Escribe las letras mayúsculas que faltan.

a B   Ch D   F G   I   K   Ll

N   O   Q R   T u   W X Y

Observa tu trabajo y evalúa tu progreso. Sigue las instrucciones del(de la) maestro(a).

Calificación	Forma	Tamaño	Inclinación	Separación entre palabras	Nitidez
Bueno					
Aceptable					
No aceptable					

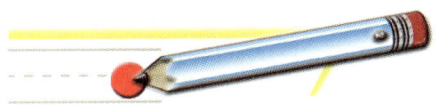 Lee la siguiente información.

Estos son los pasos que podemos seguir para escribir una composición.

1. Piensa sobre lo que sabes acerca de diferentes temas estudiados en clase, que hayas visto en la televisión, en ilustraciones, paisajes o temas que te interesen mucho.

2. Selecciona uno de ellos y piensa qué te gustaría comunicarle a los(as) demás sobre este tema. Repasa todo lo que sabes. Busca información adicional. Clarifica y amplía tus ideas.

3. Utiliza un organizador gráfico, como el que te presentamos luego, para organizar tus ideas.

4. Escribe tu composición.

5. Lee tu escrito a los(as) demás estudiantes de la clase y a tu maestro(a).

6. Escucha todos los comentarios y recomendaciones.

7. Escribe de nuevo tu mensaje y cambia las cosas que creas necesarias. Recuerda que debes comunicar tus ideas claramente y con tu mejor caligrafía.

8. Pídele a tu maestro(a) que te señale los errores gramaticales. Consulta el diccionario y autocorrige tu escrito.

9. Escribe de nuevo tu composición. Selecciona un título apropiado. Evita borrones y cuida tu letra. Si deseas, puedes ilustrar tu composición.

10. Usa tu Hoja de Autoevaluación antes de entregar el trabajo.

11. Haz los ajustes necesarios como resultado de tu autoevaluación.

12. Ahora, tu trabajo estará listo para mostrarlo con orgullo a los(as) demás.

Hoja de Autoevaluación

	SÍ	No
• Organicé las oraciones en orden lógico.		
• Incorporé las recomendaciones de mi maestro(a) y de mis compañeros(as).		
• Corregí los errores gramaticales.		
• Me aseguré de que la forma, el tamaño, la inclinación y la alineación de las palabras fuera la adecuada.		
• La separación entre las palabras de las oraciones me parece adecuada.		
• Escribí todas las letras que bajan con la misma longitud.		
• Escribí la letra t y la d un poco más corta que las demás.		
• Los óvalos están cerrados.		
• Cotejé en el diccionario las palabras que me causan duda al escribirlas.		
• Empecé todas las oraciones con letra mayúscula.		
• Coloqué el punto final de la oración.		
• Escribí los nombres propios con letra mayúscula.		
• Dejé sangría cuando escribí párrafos.		
• Mi trabajo está nítido.		

NOTA: Autoevalúa tus trabajos antes de entregarlos.

 Comenta el siguiente párrafo descriptivo.

Amanece. Las plantas del hermoso jardín despiertan. La luz tibia del sol ilumina la mañana. El rocío brilla sobre las verdes hojas. Las gotitas traviesas parecen canicas de colores. La alegre brisa llega y las brillantes gotas bailan. El sol comienza a calentar. Las plantas se estiran y las gotitas vuelan. ¡Desaparecen! Mañana regresarán las misteriosas gotitas de luz.

- ¿Qué es describir?
- ¿Cómo se llaman las palabras que dicen cómo son las cosas?
- ¿Qué son las gotitas de luz? ¿Cómo son?
- Subraya todas las palabras que describen las cosas que menciona la lectura.

Escribe, en letra cursiva, todos los adjetivos que utiliza la autora. Sigue el ejemplo.

hermoso

 Lee y comenta el párrafo siguiente.

Platero

Fragmento
Juan Ramón Jiménez (español)

Platero es pequeño, lanudo, suave; tan blando por fuera, que se diría todo de algodón, que no lleva huesos. Sólo los espejos de azabache de sus ojos son duros cual dos escarabajos de cristal negro.

- ¿Cómo es Platero? ¿Es un animal? ¿Cuál?
- En una hoja aparte dibuja y colorea a Platero.
- Pídele a tu maestro(a) que te hable del autor de Platero.

Escribe el párrafo en letra cursiva.

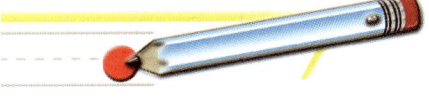 Observa la escena siguiente. Escribe un párrafo de, por lo menos, tres oraciones para describir lo que ves. Puedes utilizar algunos de los adjetivos siguientes. Coloca un título.

rojo	dorada	azul	tranquilo
verde	grande	lejanas	hermoso

_____

_____

_____

_____

_____

_____

_____

_____

_____

_____

Reescribe las oraciones siguientes. Sustituye la palabra en rojo por un antónimo. ¡Cuida tu caligrafía!

La sirena vivía *lejos* de la playa.

La sirena vivía *cerca* de la playa.

El caracol estaba *triste*.

Una ola *gigante* lo arrastró.

Una tarde el cielo se *oscureció*.

Las olas estaban *enojadas*.

Su corazón latió *fuertemente*.

La feliz pareja se *alejó*.

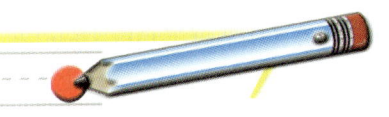

Reescribe las oraciones siguientes. Sustituye la palabra en rojo por un sinónimo.

Carmen *completó* su informe.

A Mario le *encantan* las películas.

La belleza del lugar *calma* el temor.

Mi espíritu se *transporta* al pasado.

Ya es hora de *regresar* al hogar.

Carlos y Eva *conversaban* mucho.

Juan estuvo *atento* a las noticias.

El huracán *destrozó* el bosque.

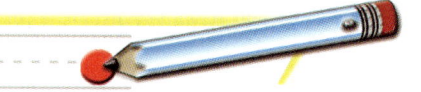

Escribe un nombre que pueda describirse con cada adjetivo. Puedes consultar tu libro de lecturas. Sigue el ejemplo.

azul	*cielo*	responsable	
verde		moderna	
brillante		hermoso	
clara		humilde	
fresca		sabrosa	
quieto		alegre	

Completa el párrafo. Utiliza los nombres siguientes.

insectos	sol	pétalos	mariposa
naturaleza	país	invitados	flores

En un _____ muy lejano se iba
a celebrar el baile de los _____. Las
_____ mostraban sus coloridos _____.
El _____ brillaba más reluciente que nunca.
Toda la _____ festejaba ese día. Los
_____ estaban preocupados porque la
_____ Cristalina no quería asistir.

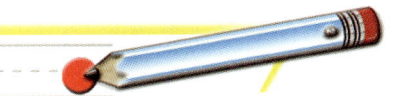

Lee y completa el diálogo que llevan a cabo la mariposa
Cristalina y su amiga la hormiga. ¡Cuida tu caligrafía!

– Cristalina, ábreme la puerta.

– ¿Qué deseas?

– Me dicen que no irás al baile
de los insectos. ¿Es cierto?

– Sí, no iré. Mis alas ya no
son hermosas. Estoy vieja y
cansada.

– No digas eso. ¡Alégrate! Lucirás
hermosa si te sientes hermosa.

–

–

–

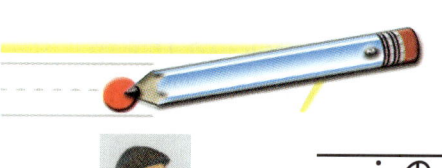

Completa el diálogo entre taínos.

– *¿Qué cazaste en la mañana?*

–

– *¿De veras? Yo atrapé una*

jutía.

– *Es hora de regresar a casa.*

–

Crea un diálogo entre dos de los personajes de uno de los cuentos que hayas leído. Ilustra tu trabajo.

–

–

–

–

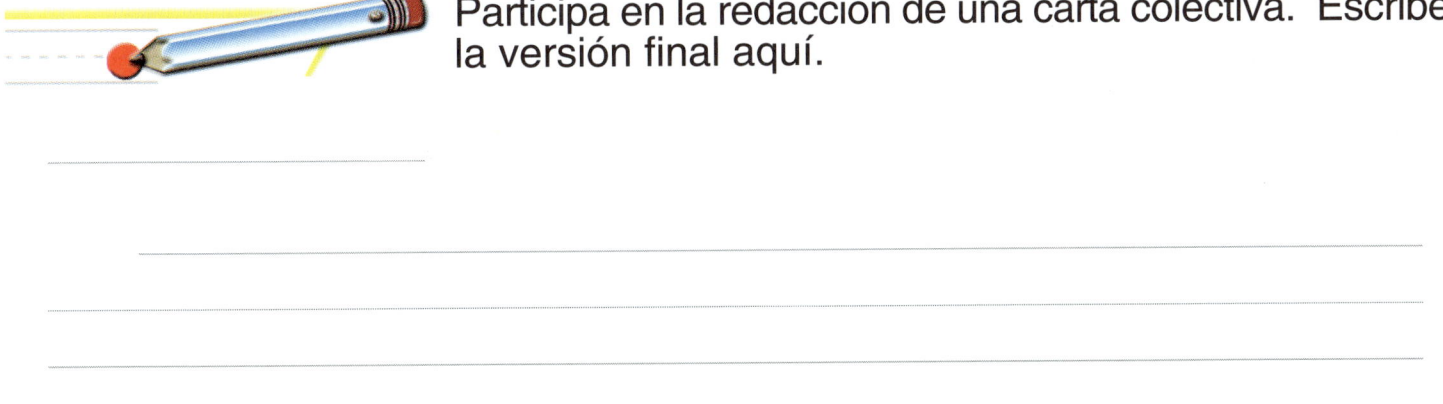

Lee la carta siguiente. Comenta.

Querido papá:

El domingo fuimos de paseo. Mis hermanos y yo disfrutamos mucho.

Mamá nos explicó que íbamos por la Ruta Panorámica. Pasamos por lugares muy bonitos. Almorzamos en un sitio que le llaman El Salto de Doña Juana. ¡Qué linda es esa cascada!.

Cuando regreses, volveremos de paseo. ¡Ven pronto, papá!

Te quiero mucho,
Alondra

- ¿Qué cosas le cuenta Alondra a su papá?
- ¿Conoces los lugares visitados por Alondra y su familia?
- ¿Para qué Alondra escribió su carta?
- ¿Dónde crees que está el papá de Alondra?

Participa en la redacción de una carta colectiva. Escribe la versión final aquí.

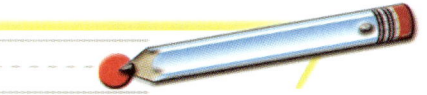 Observa la lámina. Escribe un párrafo para describir lo que observas. Coloca un título.

_____
_____
_____
_____
_____
_____
_____
_____
_____
_____

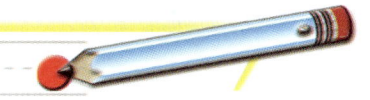 Escribe un sinónimo y un antónimo para cada una de las palabras en rojo.

Mis alas no son *hermosas*.
Todos *disfrutamos* mucho.
Carmen *completó* su informe.

	Sinónimo	Antónimo
hermosas		
disfrutamos		
completó		

 Autoevalúa tu progreso. Sigue las instrucciones de tu maestro(a)

Acciones	Siempre	A veces	Casi nunca
Puedo expresar mis ideas en forma escrita.			
Puedo reconocer los sinónimos y antónimos de muchas palabras.			
Empiezo las oraciones con letra mayúscula.			
Dejo sangría al empezar los párrafos.			
Escribo las letras en tipo cursivo con la forma, el tamaño y la inclinación adecuada.			
Separo las palabras dentro de la oración.			
Mi trabajo está nítido.			

 Lee y comenta el siguiente Diario de la autora.

Querido diario:

Hoy estuve muy ocupada. Pasé muchas horas escribiendo para los niños y las niñas de tercer grado. Me gusta preparar lecturas y actividades que les resulten interesantes. Así, mientras aprenden a comunicar sus ideas, se sentirán a gusto. No es fácil complacer a todos y a todas, pero siempre trato de hacer lo posible.

Voy a descansar. Hasta mañana.

- ¿Por qué la autora ha estado muy ocupada?
- ¿Crees que la autora logra complacer a los niños y a las niñas de tercer grado?

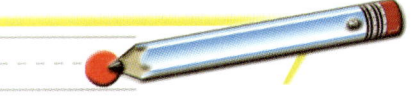 Imagina que tienes un diario. Escribe algo que quieras compartir. Muéstralo al(a la) maestro(a) para que te haga sus comentarios.

Querido diario:

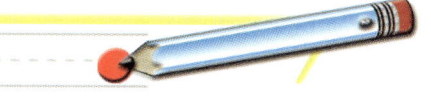

Escucha la narración del cuento **Ana Rosa y las hormigas**. Observa las ilustraciones y escribe lo que sucedió en cada escena.

_____
_____
_____
_____
_____

_____
_____
_____
_____

_____
_____
_____
_____

_____
_____
_____
_____

_____
_____
_____
_____

Cuento creado y distribuido por **Anisa, Inc.**

Escribe una historia basada en las láminas de la izquierda. Escribe un título.

NOTA: Las ilustraciones pertenecen al libro Los taínos de Boriquén de Anisa, Inc.

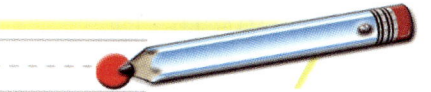 Completa los párrafos con las palabras que aparecen más adelante.

| agua | bosque | silencio | plantas |
| llovía | cotorra | moría | árbol |

El _____ se veía triste. Hacía muchos días que no _____. Las _____ se habían doblado por falta de _____. En lo alto de un _____, una _____ miraba en _____. Miró una plantita frágil que _____ sin agua y alzó vuelo.

Relee los párrafos y escribe un final para la historia. Contesta las preguntas:

- ¿Qué hizo la cotorra cuando alzó vuelo?
- ¿Cómo ayudó a resolver el problema?

 Observa las láminas desde la izquierda hacia la derecha.
Participa en la creación oral de un cuento colectivo.

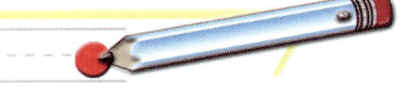 Escribe tu propia historia basada en las ilustraciones.
Puedes utilizar algunas de las palabras que aparecen
a continuación. Coloca un título a tu historia.

| solitario | pájaros | compañía | amigos |
| triste | nido | trinos | felicidad |

 Observa las láminas y crea un cuento. Organiza tus ideas siguiendo el siguiente organizador gráfico.

Ambiente →	Personajes →	Sucesos →	Desenlace

- Sigue los pasos sugeridos en la página 45.
- Escribe aquí la versión final de tu trabajo.

Selecciona uno de los cuentos incluidos en tu libro de lectura. Completa el esquema siguiente.

Ambiente

- Describe el lugar donde ocurre el cuento.

Personajes

- Menciónalos.
- Descríbelos.

Sucesos

- Describe los sucesos más importantes.

Desenlace

- Explica cómo termina.

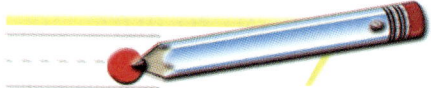 Lee y comenta los versos siguientes.

El hombre niño

Fragmento
Juan Ramón Jiménez (español)

¡Qué pequeñita es la cuna,
qué chiquita la canción;
más cabe la vida en ésta
y en aquélla el corazón.

Nadie ríe aquí de ver
a este niño grandullón
mecerse, quieto, en su vieja
cuna, a la antigua canción.

(¡Qué pequeñita es mi vida,
qué tierno mi corazón!
¡Ese me cabe en la cuna,
y la vida en la canción!)

- ¿Qué significa el título?
- ¿Qué es lo que cabe en la cuna?
- ¿Dónde cabe la vida?

Selecciona la estrofa que más te guste. Escríbela en letra cursiva.

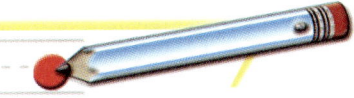 Lee y comenta los versos siguientes.

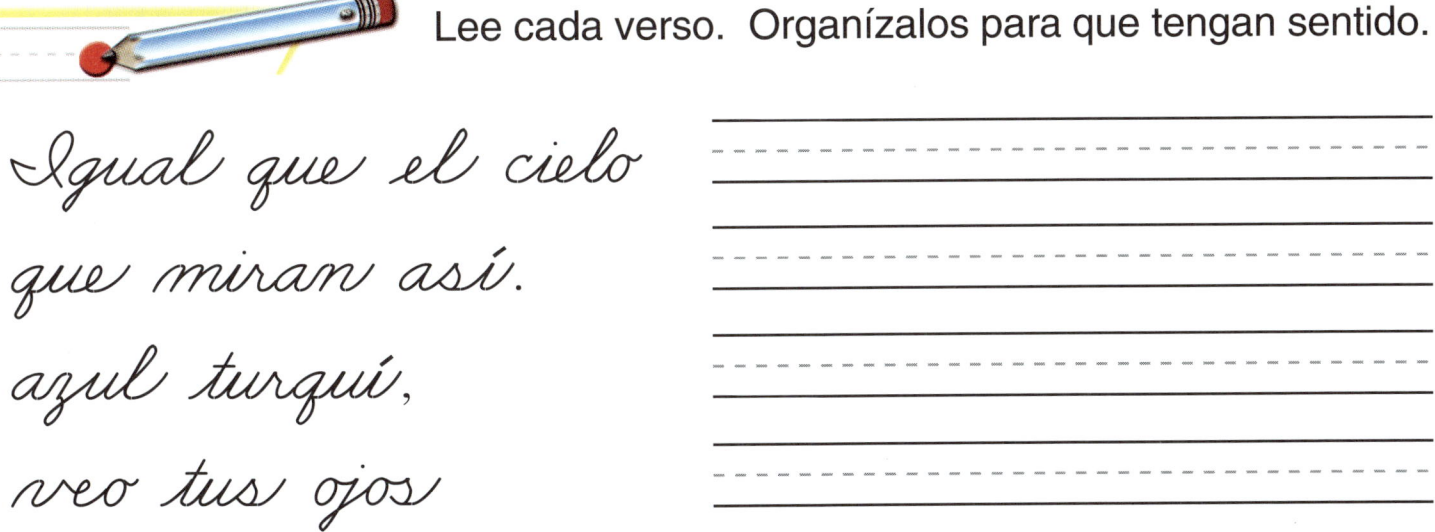

¡Si el rocío mañanero
fuera de plata,
para vestir mi islita
con luz de alba!

Carmen Muñiz de Barbosa
(puertorriqueña)

- ¿Cuál es el deseo de la autora?
- ¿Cómo imaginas a la Isla vestida con luz de alba?

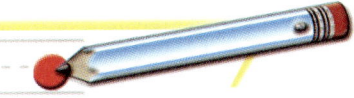 Lee cada verso. Organízalos para que tengan sentido.

Igual que el cielo
que miran así.
azul turquí,
veo tus ojos

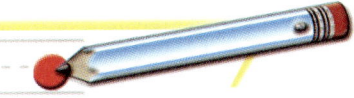 Escribe un verso que complete la estrofa.

Luz dorada,
luz de Sol,
enciende mi Isla

Lee y aprende el himno de Puerto Rico.

La Borinqueña
Manuel Fernández Juncos (letra)
Félix Astol (música)

La Tierra de Borinquen
donde he nacido yo,
es un jardín florido
de mágico primor.

Un cielo siempre nítido
le sirve de dosel
y dan arrullo plácido
las olas a sus pies.

Cuando a sus playas llegó Colón;
exclamó, lleno de admiración:
¡Oh! ¡Oh! ¡Oh!
Esta es la linda tierra
que busco yo;
es Borinquen la hija,
la hija del mar y el sol,
del mar y el sol,
del mar y el sol,
del mar y el sol,
del mar y el sol.

Copia, con respeto y esmero, la letra de
La Borinqueña.

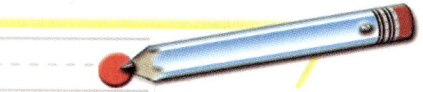 Escribe sobre cada una de las situaciones que se plantean. Comparte tus ideas con el grupo.

Antes de escribir:

- piensa en la audiencia,
- piensa tus argumentos,
- organiza tu pensamiento y
- sigue las recomendaciones de la página 45.

Situación: Los(as) estudiantes de tercer grado están planificando una excursión. Algunos padres y algunas madres se oponen. Tú eres parte del grupo que los(as) debe convencer. Escribe lo que les dirías.

_____
_____
_____
_____
_____
_____
_____
_____

Busca información sobre lo que es solidaridad. Escribe un párrafo argumentando a favor de la aseveración siguiente: La solidaridad trae la paz.

_____
_____
_____
_____
_____
_____
_____
_____
_____

Escribe tu opinión sincera.

Lo más importante que aprendí:

Lo más que me gustó:

Lo que no me gustó: